6 这是我的书 It's MY BOOK 6级：300字

不要挡着我的阳光

作者：程以克（Vicki Cheng）
插图：孔德晴（Deqing Kong）

北京语言大学出版社
BEIJING LANGUAGE AND CULTURE UNIVERSITY PRESS

PHOENIX TREE
PHOENIX TREE PUBLISHING INC.

识读 衣服 坐 说话 听 晚

句型 有……还有……

字数 303 字

hěn zǎo yǐ qián yǒu gè jiào dì ōu gēn ní de rén tā cóng lái
很早以前，有个叫第欧根尼的人。他从来

bù chuān xié zi tiān tiān zhǐ chuān yí jiàn yī fu tā shēn biān yǒu
不穿鞋子，天天只穿一件衣服。他身边有

yí gè gùn zi yì tiáo tǎn zi hái yǒu yí gè zhuāng miàn bāo de
一个棍子、一条毯子，还有一个装面包的

dài zi wǎn shang tā jiù shuì zài lù biān de yí gè dà tǒng li
袋子。晚上，他就睡在路边的一个大桶里。

tā de shēng huó hěn jiǎn dān kě shì tā huì xiě shī
他的生活很简单，可是，他会写诗

gē xiě jù běn tā xiě de dōng xi hěn duō rén dōu
歌、写剧本。他写的东西很多人都

ài kàn
爱看。

yà lì shān dà dà dì shì dāng shí yǒu míng de rén wù
亚历山大大帝是当时有名的人物。

bù shǎo rén zǒu le hěn yuǎn de lù zhǐ shì xiǎng qù kàn
不少人走了很远的路，只是想去看

kan tā kě shì dì ōu gēn ní cóng lái bú qù
看他。可是第欧根尼从来不去。

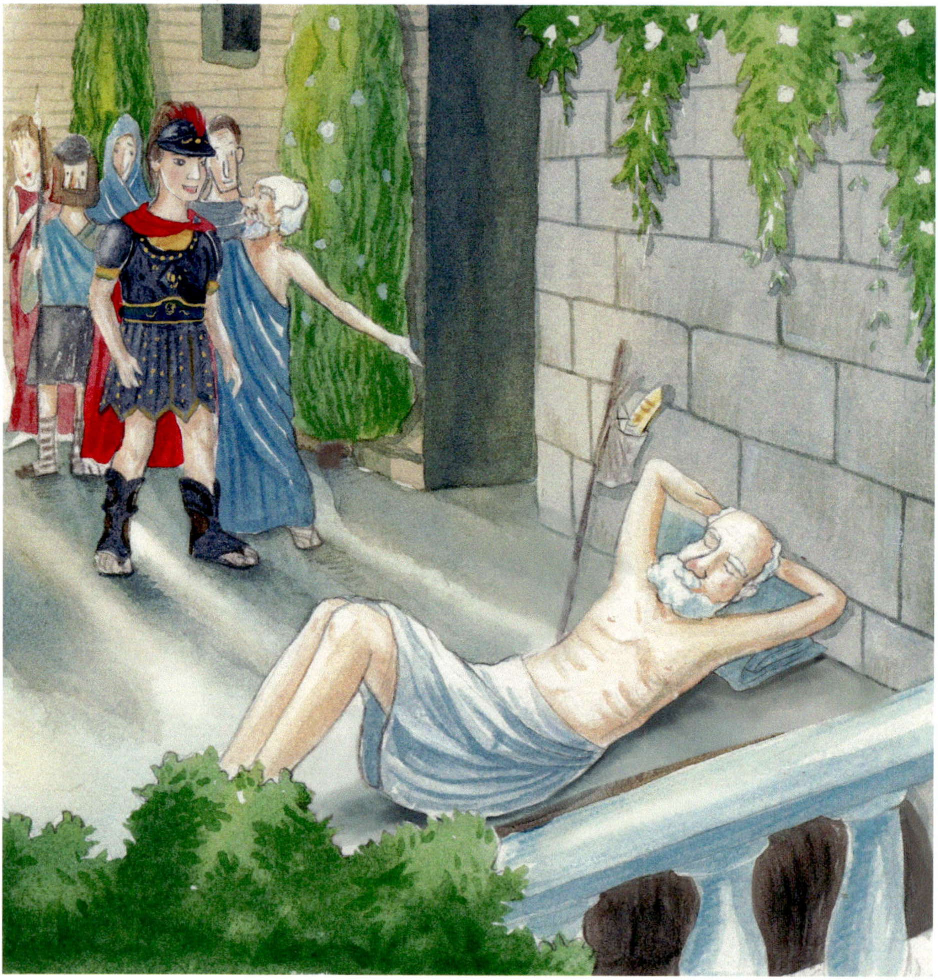

yà lì shān dà dà dì hěn hào qí jiù qīn zì qù
亚历山大大帝很好奇，就亲自去
zhǎo dì ōu gēn ní zhè shí hou dì ōu gēn ní zhèng
找第欧根尼。这时候，第欧根尼正
shuì zài lù biān de dà tǒng shang shài tài yáng
睡在路边的大桶上晒太阳。

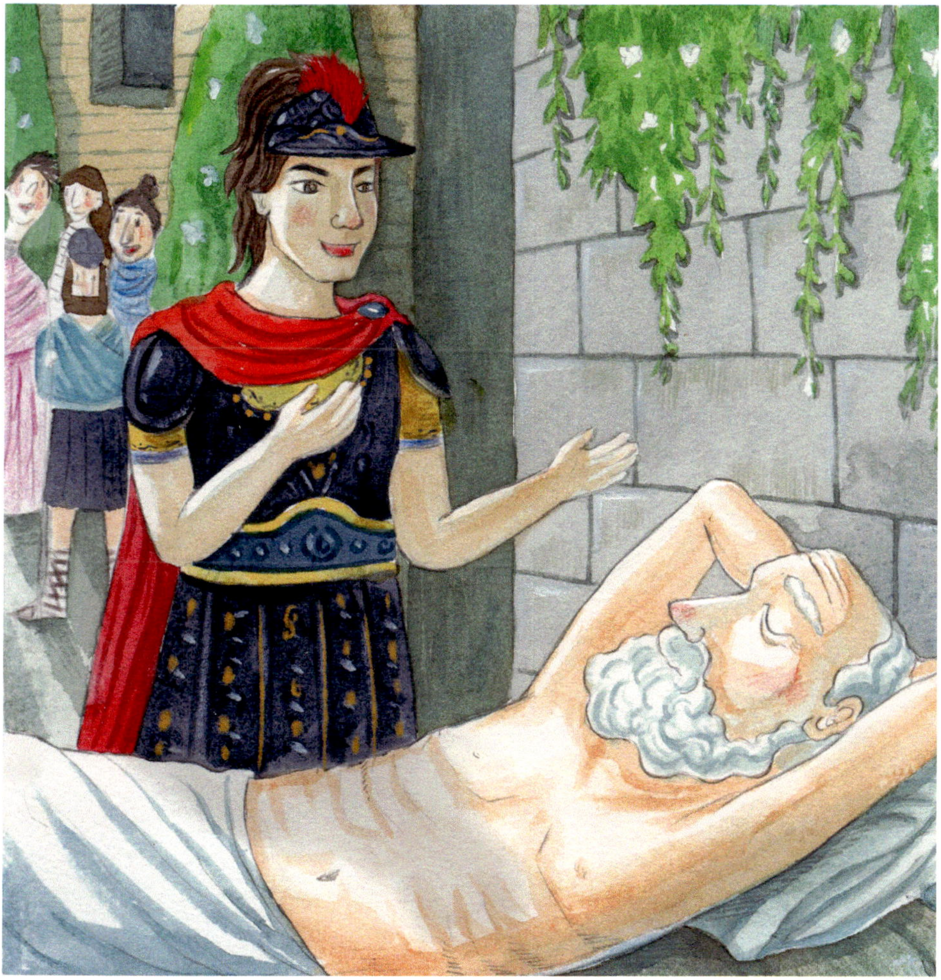

yà lì shān dà dà dì shuō nǐ hǎo dì ōu gēn
亚历山大大帝说：“你好，第欧根
ní wǒ shì yà lì shān dà zhè ge guó jiā de
尼！我是亚历山大，这个国家的
huáng dì wǒ tīng shuō nǐ hěn yǒu míng xiě le bù shǎo
皇帝。我听说你很有名，写了不少
shī gē hé jù běn
诗歌和剧本。”

yà lì shān dà dà dì yòu shuō nǐ xiǎng yào shén me
亚历山大大帝又说：“你想要什么？
wǒ néng ràng nǐ dé dào nǐ xiǎng yào de dōng xi dì ōu
我能让你得到你想要的东西。”第欧
gēn ní kàn le yì yǎn yà lì shān dà dà dì shuō
根尼看了一眼亚历山大大帝，说：
wǒ zhǐ xiǎng yào yí yàng dōng xi tài yáng de guāng máng
“我只想要一样东西：太阳的光芒。
qǐng nǐ bú yào dǎng zhe zhào zài wǒ shēn shang de yáng guāng
请你不要挡着照在我身上的阳光！”

yà lì shān dà dà dì xiào le shuō rú guǒ wǒ
亚历山大大帝笑了，说：“如果我

bú zuò guó wáng wǒ yě yào zuò nǐ zhè yàng de rén
不做国王，我也要做你这样的人。”

1 很早以前，有个叫第欧根尼的人。他从来不穿鞋子，天天只穿一件衣服。他身边有一个棍子、一条毯子，还有一个装面包的袋子。晚上，他就睡在路边的一个大桶里。

2 他的生活很简单，可是，他会写诗歌、写剧本。他写的东西很多人都爱看。

3 亚历山大大帝是当时有名的人物。不少人走了很远的路，只是想去看看他。可是第欧根尼从来不去。

4 亚历山大大帝很好奇，就亲自去找第欧根尼。这时候，第欧根尼正睡在路边的大桶上晒太阳。

5 亚历山大大帝说："你好，第欧根尼！我是亚历山大，这个国家的皇帝。我听说你很有名，写了不少诗歌和剧本。"

6 亚历山大大帝又说："你想要什么？我能让你得到你想要的东西。"第欧根尼看了一眼亚历山大大帝，说："我只想要一样东西：太阳的光芒。请你不要挡着照在我身上的阳光！"

7 亚历山大大帝笑了，说："如果我不做国王，我也要做你这样的人。"

1

2

3

4

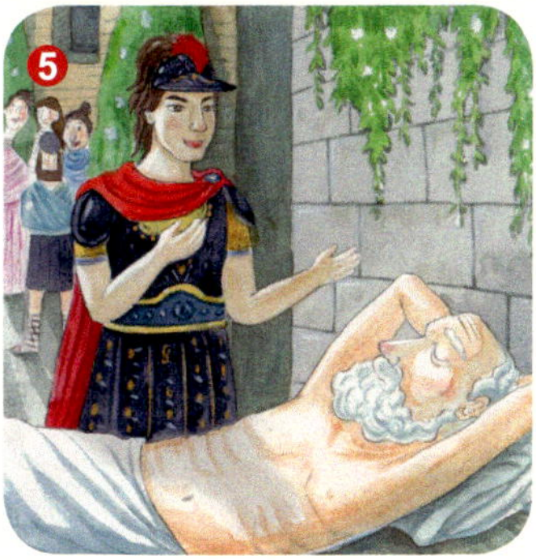
5

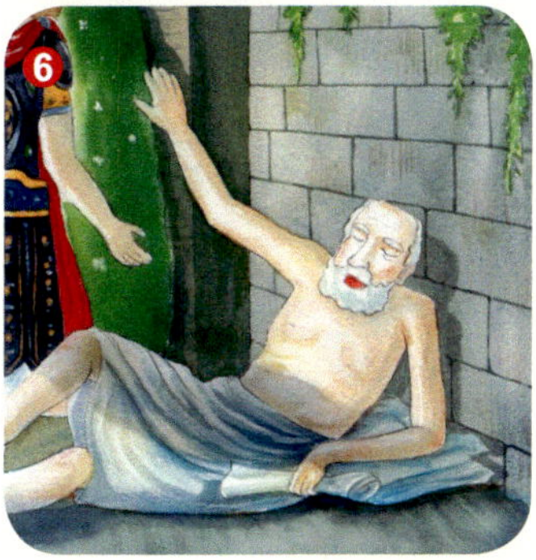
6

看图讲故事

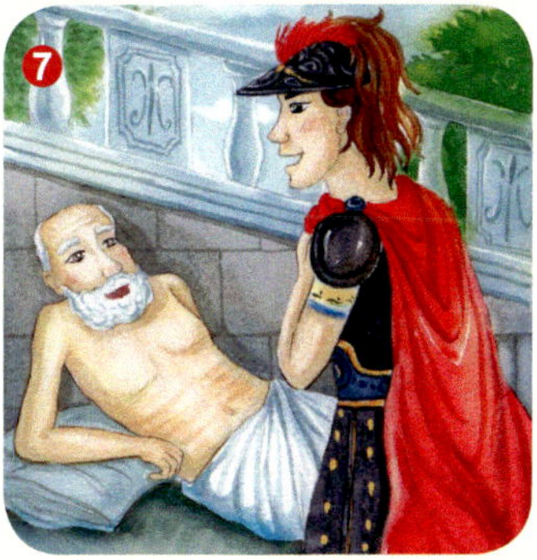
7